L'ÉCHARPE ROUGE

ANNE VILLENEUVE

Les 400 coups

Pour mademoiselle Paoli et monsieur Psitorio...

Nous remercions le Conseil des arts du Canada de l'aide accordée à notre programme
de publication, et la SODEC pour son appui financier en vertu du programme d'aide
aux entreprises du livre et de l'édition spécialisée.

Conception graphique : Mardigrafe inc.
Révision : Micheline Dussault

Diffusion au Canada
Diffusion Dimedia inc.
539, boulevard Lebeau
Ville Saint-Laurent (Québec) H4N 1S2

© 1999 Anne Villeneuve et les éditions Les 400 coups
Laval (Québec) Canada

Dépôt légal — 4ᵉ trimestre 1999
Bibliothèque nationale du Québec
Bibliothèque nationale du Canada

ISBN 2-921620-35-9

Imprimé au Canada sur les presses de Litho Mille-Îles ltée
en octobre 1999

et pour Christian...

L'ÉCHARPE ROUGE

ANNE VILLENEUVE

Un autre petit matin gris, se dit

Turpin le chauffeur de taxi...

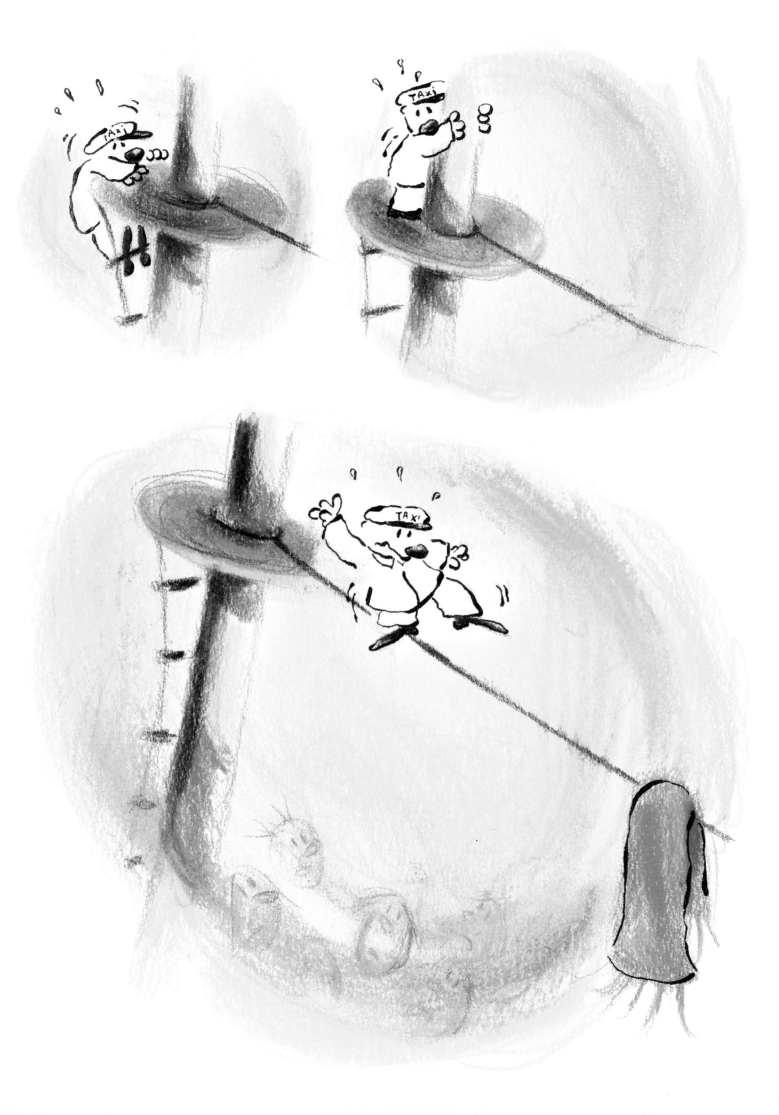

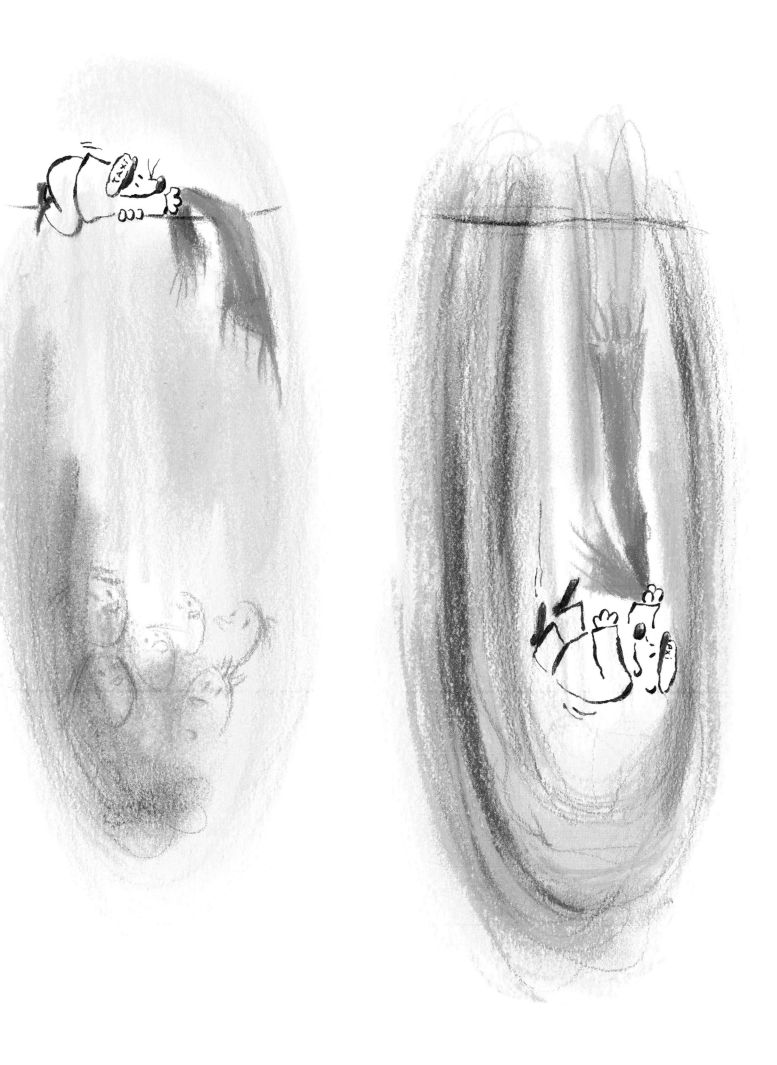

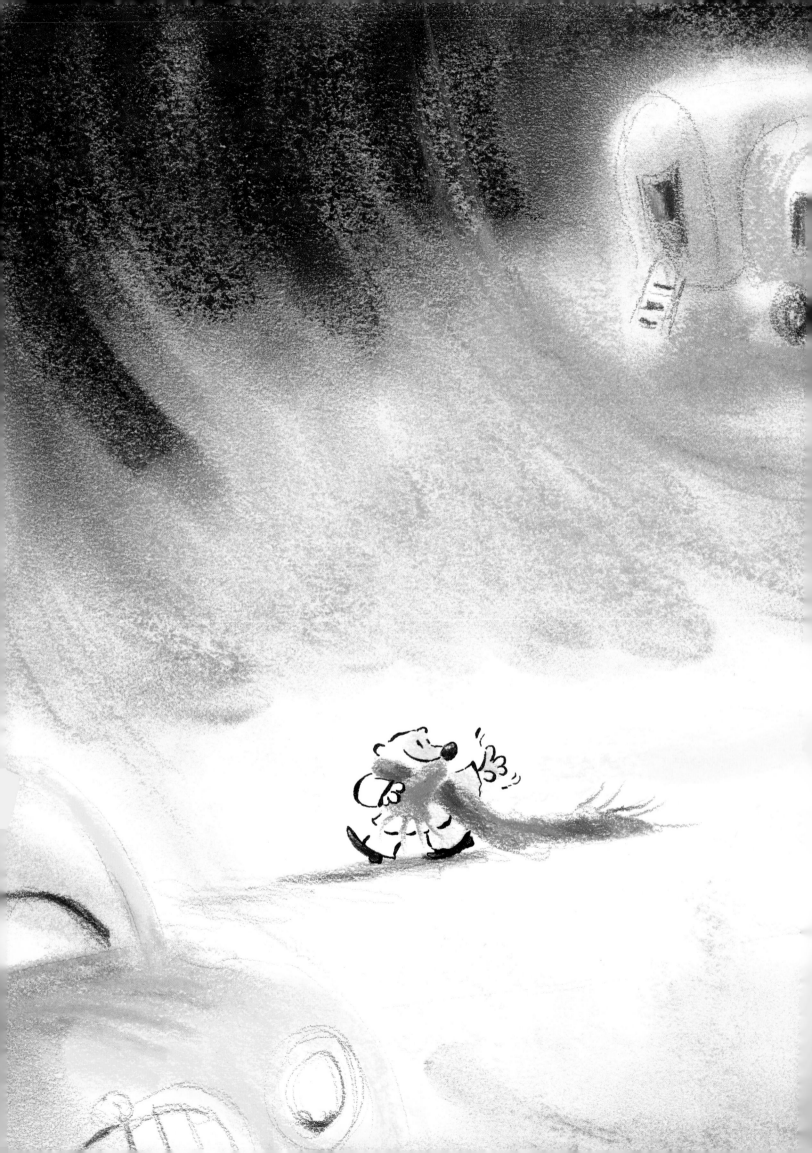